THE USBORNE INTERNET-LINKED

FIRST THOUSAND WORDS

IN SPANISH

Heather Amery

Illustrated by Stephen Cartwright

Revised edition by Mairi Mackinnon
Picture editing by Mike Olley
Spanish language consultant: Valeria Luna

There is a little yellow duck to look for on every
double page with pictures. Can you find it?

Stephen Cartwright's little yellow duck made his first-ever appearance in *The First Thousand Words* over thirty years ago. Duck has since featured in over 125 titles, in more than 70 languages, and has delighted millions of readers, both young and old, around the world.

This revised edition first published in 2013 by Usborne Publishing Ltd, 83-85 Saffron Hill, London EC1N 8RT. www.usborne.com
Based on a previous title first published in 1979. Copyright © 2013,1995,1979 Usborne Publishing Ltd.

First published in America in 2013.

About this book

The First Thousand Words is an enormously popular book that has helped many thousands of children and adults learn new words and improve their Spanish language skills.

You'll find it easy to learn words by looking at the **small labeled pictures**. Then you can practice the words by talking about the large central pictures. You can also **listen to the words** on the Usborne website (see below).

There is an alphabetical **word list** at the back of the book, which you can use to look up words in the picture pages.

Remember, this is a book of a thousand words. It will take time to learn them all.

Masculine and feminine words

When you look at Spanish words for things such as "table" or "man," you will see that they have **el** or **la** in front of them. This is because all Spanish words for people and things are either masculine or feminine. **El** is the word for "the" in front of a masculine word and **la** is "the" in front of a feminine word. For plurals (more than one, as in "tables" or "men"), the Spanish word for "the" is **los** for masculine words and **las** for feminine words.

All the labels in this book show words for things with **el**, **la**, **los** or **las**. Always learn them with this little word.

Looking at Spanish words

In Spanish, the letters **a e i o** and **u** are sometimes written with a stress mark, a sign that goes above them. This sign changes the way you say the word. Spanish also has an extra letter, which is an **n** with a sign like a squiggle over the top. This **ñ** is said "nyuh," (like the "nio" in "onion").

How to say the Spanish words

The best way to learn how to pronounce Spanish words is to listen to a native Spanish speaker. You can hear the words in this book, read by a native speaker, on the Usborne website. Just go to **www.usborne-quicklinks.com** and enter the keywords **1000 spanish**. There you can also find links to other useful websites about the Spanish language, Spain and Latin America.

las pinturas

las botellas

los peces de colores

el helicóptero

el rompecabezas

el chocolate

La casa

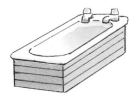
la tina

el jabón

la llave del agua

el papel higiénico

el cepillo de dientes

el agua

el excusado

la esponja

el lavabo

la regadera

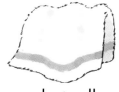
la toalla

la cama

El baño

La sala

la pasta de dientes

la radio

el cojín

el DVD

la alfombra

el sofá

4

la silla

el edredón

el peine

la sábana

el tapete

el clóset

la televisión

el mueble con cajones

el espejo

el cepillo

la lámpara

los posters

el perchero

el teléfono

La recámara

El pasillo

el radiador

la fruta

el periódico

la mesa

las cartas

las escaleras

5

La cocina

el fregadero

el refrigerador

los vasos

el reloj

el taburete

las cucharitas

el interruptor

el detergente

la llave

la puerta

la aspiradora

las cacerolas

los tenedores

el delantal

el burro de planchar

la basura

6

la tetera eléctrica

los cuchillos

el trapeador

el trapo del polvo

los azulejos

la escoba

la lavadora

el recogedor

el cajón

los platitos

el sartén

la estufa

los cucharones

los platos

la plancha

el armario

el trapo de cocina

las tazas

los cerillos

el cepillo

los tazones

El jardín

la carretilla

la colmena

el caracol

los ladrillos

la paloma

la pala

la catarina

el bote de basura

las semillas

el cobertizo

la regaderita

el gusano

las flores

el rociador

la guadaña

la avispa

8

la abeja

la palita

el hueso

el seto

la horca

la podadora

el sendero

las hojas

el árbol

el humo

la oruga

el rastrillo

el nido

las ramas

la hierba

la carriola

las verduras

la hoguera

la manguera

el invernadero

9

El taller

el torno de banco

la lija

el taladro

la escalera

la sierra

el aserrín

el calendario

la caja de herramientas

el destornillador

el tablón

las virutas

la navaja

los tornillos

las tachuelas

la araña

los tornillos

las tuercas

la telaraña

el barril

la mosca

el hacha

el metro

el martillo

la lima

el bote de pintura

la madera

los clavos

la mesa de trabajo

los tarros

el cepillo de carpintero

11

La calle

la tienda

el agujero

el café

la ambulancia

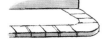
la banqueta

la estatua

la chimenea

el tejado

la excavadora

el hotel

el autobús

el hombre

la patrulla

las tuberías

el taladro

la escuela

el patio

12

el taxi

el cruce
peatonal

la fábrica

el camión

el
semáforo

el cine

la furgoneta

la aplanadora

el remolque

la casa

el mercado

los escalones

la moto

la bicicleta

el camión de
bomberos

el policía

el carro

la mujer

el poste
de luz

los
departamentos

13

La juguetería

la armónica

el tren

los dados

la flauta dulce

el robot

el collar

la cámara

las cuentas

las muñecas

la guitarra

el anillo

la casa de muñecas

el silbato

los cubos

el castillo

el submarino

la trompeta

las flecha

14

el arco

el paracaídas

el barco

las pinturas para la cara

la aplanadora

las máscaras

el coche de carreras

el caballito

el cochinito

las canicas

los títeres

el piano

los astronautas

la grúa

los naipes

los tambores

los soldados

la caja de pinturas

el cohete

15

los columpios

el hoyo de arena

el picnic

El parque

el banco

la cometa

el helado

el perro

la puerta
de la cerca

el sendero

la rana

16 el tobogán

los renacuajos

el lago

los patines

el arbusto

el bebé

la patineta

la tierra

la sillita

el subibaja

los niños

el triciclo

los pájaros

la cerca

el balón

el velero

la cuerda

el charco

los patitos

la cuerda
de saltar

los árboles

el jardín de
flores

los cisnes

la correa
de perro

los patos

17

Los animales

el panda

el ala

el águila

el hipopótamo

el murciélago

el gorila

las patas

el canguro

el mono

el rabo

el lobo

el cocodrilo

el pingüino

el oso

las plumas

el pelícano

el avestruz

el delfín

la jirafa

el león

los leones cachorros

el ciervo

el camello

la foca

la tortuga

la trompa

el oso polar

el bisonte

el elefante

el rinoceronte

los cuernos

el castor

la cabra

la cebra

la serpiente

el tiburón

la ballena

el tigre

el leopardo

19

El viaje

las vías

la locomotora

los topes

los vagones

el maquinista

el tren de mercancías

el andén

la revisora

la maleta

la máquina de boletos

La estación de ferrocarril

El taller mecánico

las señales

la mochila

los faros

el motor

la llanta

la batería

20

el avión

el helicóptero

la pista de aterrizaje

la torre de control

El aeropuerto

la tripulación

el piloto

el lavado de coches

la cajuela

la gasolina

la grúa

LAVADO DE COCHES

la bomba de gasolina

el camión de gasolina

la llave inglesa

el neumático

el cofre

el aceite

21

El campo

el molino de viento

el globo

la mariposa

el lagarto

las piedras

el zorro

el arroyo

el poste indicador

el erizo

la represa

la montaña

la ardilla

el bosque

el tejón

el río

el camino

22

las casas de campaña

el canal

los troncos

el pueblo

la polilla

el puente

la barcaza

la cascada

el búho

el túnel

los zorritos

el topo

el pescador

las rocas

el sapo

el tren

la caravana

la colina

23

el almiar

el perro pastor

los corderos

el estanque

los pollitos

el pajar

la pocilga

el toro

el gallinero

el tractor

La granja

el gallo

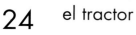

24

las ocas

el camión

el granero

el lodo

la carretilla

el granjero

el campo

las gallinas

el becerro

la cerca

la silla
de montar

el establo

la vaca

el arado

el huerto

la cuadra

los cochinitos

el burro

los pavos

el espantapájaros

el heno

las ovejas

las
balas de p... sla

...caballo

los cerdos

la granja

25

el velero

el mar

el remo

el faro

la pala

la cubeta

la estrella
de mar

el castillo
de arena

la sombrilla

la bandera

el marinero

La playa

la concha de mar

el cangrejo

la gaviota

la i

la lancha de
motor

la esquiado
acuática

las olas

el sombrero
de paja

el acantilado

el barco

la canoa

la soga

las piedrecitas

las algas

la red

el remo

el barco de
pesca

las aletas

el bronceador

el pez

el traje
de baño

el petrolero

la playa

el bote de remos

la silla de
playa

las tijeras

2 + 2 = 4
2 + 3 = 5

las cuentas

la goma

la regla

las fotos

los marcadores

el barro

las pinturas

el niño

el lápiz

La escuela

el pizarrón

el escritorio

los libros

el bolígrafo

el pegamento

el gis

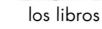

el dibujo

el bote de basura

la maestra

la caja

el mapa

el pincel

el techo

la pared

el suelo

el cuaderno

**a b c ch d e f
g h i j k l ll m n
ñ o p q u r s t
u v w x y z**

el abecedario

el pin

la pecera

el papel

la persiana

el picaporte

la planta

el globo terráqueo

la niña

los lápices de colores

la lámpara

el caballete

29

El hospital

el enfermero

el algodón

la medicina

el elevador

la bata

las muletas

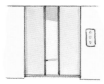
las cápsulas

la charola

el reloj

el termómetro

la cortina

la manzana

el yeso

la venda

la silla de ruedas

el rompecabezas

la doctora

la jeringa

30

El médico

las pantuflas

la computadora

la curita

el plátano

las uvas

la cesta

los juguetes

la pera

las tarjetas

el pañal

el bastón

la sala de espera

a almohada   el camisón   la piyama   la naranja   los pañuelos de papel   la historieta

31

el globo

el chocolate

los lentes

el caramelo

la ventana

los fuegos
artificiales

el listón

el pastel

La fiesta

los regalos

el popote   la vela   la guirnalda de papel   los juguetes

32

la mandarina

el chorizo

el osito de peluche

la salchicha

las papas fritas

el disfraz

la cereza

el jugo

la frambuesa

la fresa

el foco

el sándwich

la mantequilla

la galleta

el queso

el pan

el mantel

33

La tienda

la toronja

la zanahoria

la coliflor

el puerro

el champiñón

el pepino

el limón

el apio

el chabacano

el melón

la bolsa del mercado

QUESO

FRUTAS Y VERDURAS

la cebolla

la col

el durazno

la lechuga

los chícharos

el tomate

los huevos

la ciruela

la harina

la báscula

los frascos

la carne

la piña

el yogurt

el canasto

las botellas

la bolsa

el monedero

el dinero

las latas

las papas

las espinacas

las habichuelas

la caja

la calabaza

el carrito

35

Los alimentos

la comida

el desayuno

el huevo
pasado por
agua

el pan tostado

la mermelada

el café

el huevo
estrellado

la crema

la leche

el cereal

el chocolate
caliente

el azúcar

la miel

la sal

la pimienta

el té

la tetera

los hotcakes

los panecitos

la cena

el jamón

la sopa

la tortilla
francesa

la ensalada

los palillos

la hamburguesa

el pollo

el arroz

la salsa

los espaguetis

el puré de papas

la pizza

las papas a la
francesa

los postres

37

Yo

la cabeza

el pelo

la cara

el brazo

el codo

el estómago

la ceja

el ojo

la nariz

la mejilla

la boca

los labios

los dientes

la lengua

la barbilla

las orejas

el cuello

los hombros

los dedos del pie

el pie

la pierna

la rodilla

el pecho

la espalda

el trasero

la mano

el pulgar

los dedos

La ropa

 los calcetines

 los calzones

 la camiseta

los pantalones

los jeans

la camiseta

 la falda

la camisa

la corbata

los shorts

las medias

el vestido

 el suéter

 la sudadera

el cárdigan

la bufanda

el pañuelo

 los tenis

los zapatos

las sandalias

las botas

los guantes

el cinturón

la hebilla

el cierre

las agujetas

los botones

los ojales

los bolsillos

el abrigo

la chamarra

la gorra

el sombrero

39

La gente

el cocinero

el bailarín

la bailarina

el actor

la actriz

el cantante

la cantante

el astronauta

el carnicero

el policía

la policía

el carpintero

el bombero

la artista

el juez

el mecánico

la mecánica

40

el peluquero

la conductora
de camión

el conductor
de autobús

la dentista

el buzo

el mesero

la mesera

el cartero

el pintor

la panadera

La familia

el hijo
el hermano

la hija
la hermana

la mamá
la esposa

el papá
el esposo

la tía

el tío

la
mascota

el primo

el abuelito

la abuelita

41

Haciendo cosas

reírse

sonreír

llorar

pensar

escuchar

agarrar

lanzar

romper

pintar

escribir

partir

cortar

comer

hablar

excavar

llevar

beber

hacer

saltar

bailar

lavarse

tejer

andar a gatas

42

jugar

mirar

trepar

pelear

dormir

tomar

coser

saltar

esperar

cocinar

esconderse

leer

comprar

empujar

cantar

soplar

jalar

barrer

recoger

caerse

caminar

correr

estar sentados

43

Palabras opuestas

bueno

malo

lejos

cerca

arriba

abajo

frío

caliente

mojado

seco

sucio

limpio

encima

debajo

gordo

delgado

abierto

cerrado

chico

grande

pocos

muchos

primero

último

a la izquierda

fuera

dentro

fácil

difícil

vacío

lleno

blando

duro

la parte delantera

alto

lento

rápido

la parte trasera

bajo

largo

corto

muerto

vivo

oscuro

claro

viejo

arriba

a la derecha

nuevo

abajo

45

Los días

lunes
martes
miércoles
jueves
viernes
sábado
domingo

el calendario

la mañana

la tarde

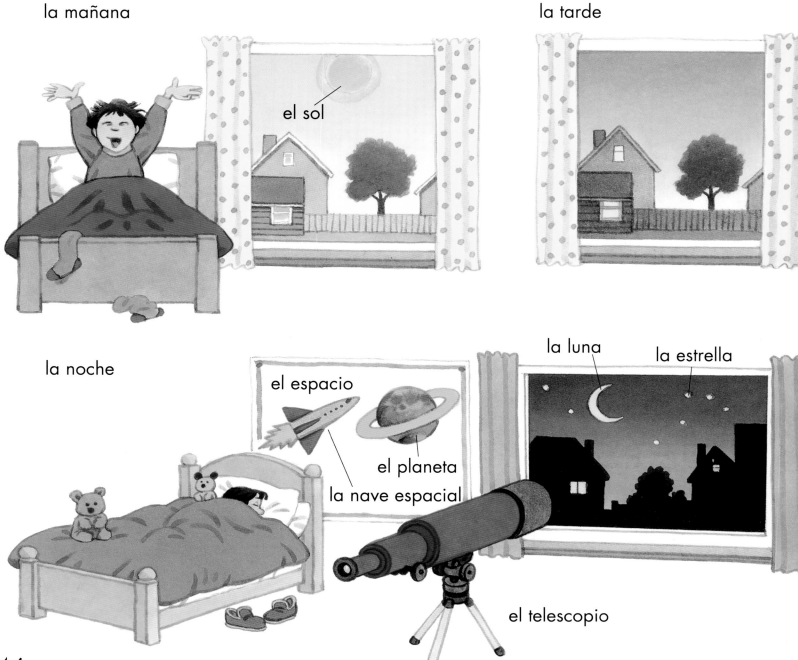

el sol

la luna
la estrella

la noche

el espacio

el planeta
la nave espacial

el telescopio

46

Días especiales

el cumpleaños

el regalo

la vela

la tarjeta
de cumpleaños

el pastel de cumpleaños

las vacaciones

el día de la boda

los invitados

la madrina de
bodas

la novia

el novio

la cámara

el fotógrafo

el día de Navidad

el reno

el trineo

Santa Claus

el árbol
de Navidad

El tiempo

el sol

el paraguas

las nubes

el cielo

la niebla

la lluvia

el relámpago

la nieve

el rocío

el viento

la neblina

la helada

el arco iris

Las estaciones

la primavera

el verano

el otoño

el invierno

Las mascotas

la veterinaria

el hámster

la casa
del perro

el conejillo
de Indias

el cachorro

el perro

el periquito

la comida

el loro

el pico

el conejo

el canario

la jaula

el gato

la cesta

el gatito

el ratón

la leche

los peces
de colores

49

Los deportes

la vela

el piragüismo

el básquetbol

la vela

el windsurfing

el snowboarding

la raqueta

el cricket

el karate

el tenis

el futbol americano

la gimnasia

el bate

la pelota

la caña de pescar

la pesca

el anzuelo

el rugby

el baile

el beisbol

los clavados

la alberca

la natación

la carrera

el tiro
con arco

el blanco

el ala delta

el judo

correr

el ciclismo

el casco

la escalada

el casillero

el caballo

el póney

el vestuario

el bádminton

el futbol

la equitación

los
patines
de hielo

el ping-pong

el patinaje sobre hielo

el palo
de esquí

la telesilla

esquiar

el esquí

la lucha libre

Los colores

anaranjado

verde

negro

gris

café

rojo

blanco

rosa

azul

morado

amarillo

Las formas

el rectángulo

el círculo

el rombo

el cono

la estrella

el cubo

el óvalo

el triángulo

el cuadrado

la media luna

Los números

1	uno	
2	dos	
3	tres	
4	cuatro	
5	cinco	
6	seis	
7	siete	
8	ocho	
9	nueve	
10	diez	
11	once	
12	doce	
13	trece	
14	catorce	
15	quince	
16	dieciséis	
17	diecisiete	
18	dieciocho	
19	diecinueve	
20	veinte	

53

La feria

la rueda de
la fortuna

el tiovivo

el algodón
de azúcar

el tren fantasma

las palomitas
de maíz

la colchoneta

el tobogán

los carritos
chocones

los aros

la montaña rusa

El circo

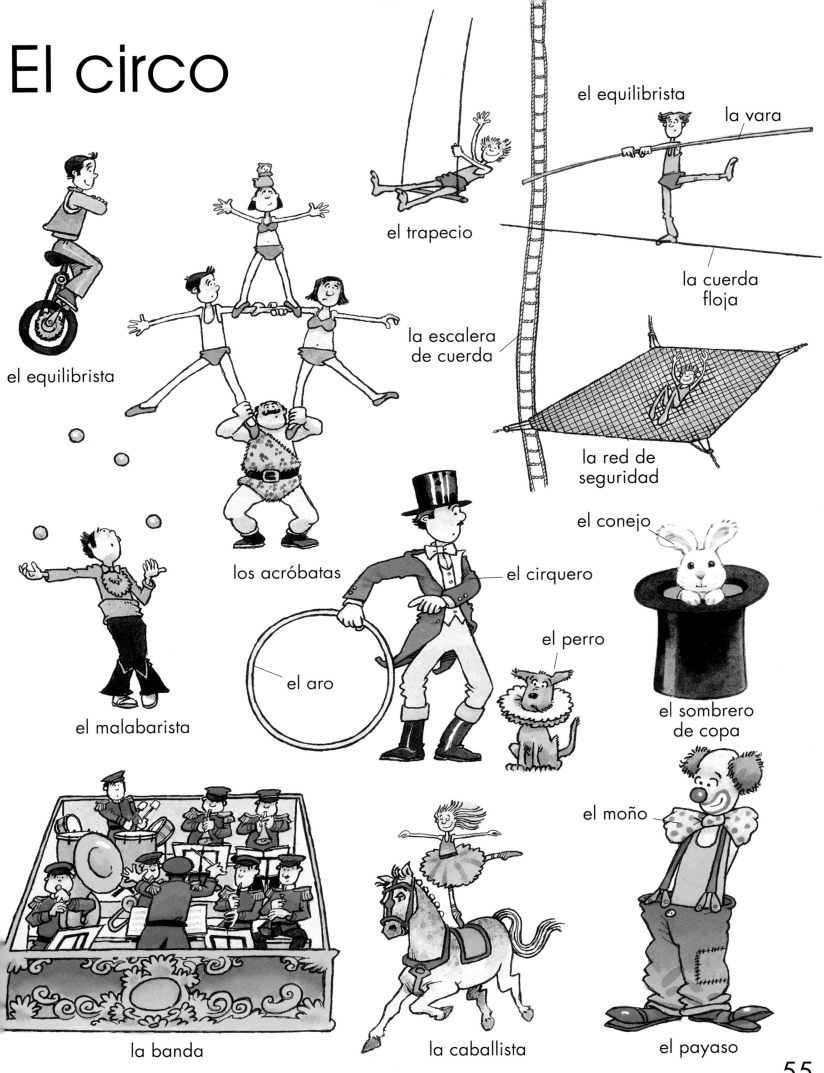

el equilibrista

el trapecio

el equilibrista

la vara

la cuerda floja

la escalera de cuerda

la red de seguridad

el equilibrista

los acróbatas

el malabarista

el aro

el cirquero

el conejo

el perro

el sombrero de copa

el moño

la banda

la caballista

el payaso

55

Word list

In this list, you can find all the Spanish words in this book, in alphabetical order. Next to each one, you can see its pronunciation (how to say it) in letters *like this*, and then its English translation.

Remember that Spanish nouns (words for things) are either masculine or feminine (see page 3). In the list, each one has **el**, **la**, **los** or **las** in front of it. These all mean "the." **El** and **los** are used in front of masculine nouns and **la** and **las** are used in front of feminine ones. **Los** and **las** are used in front of a plural noun (a noun is plural if you are talking about more than one, for example "cats").

About Spanish pronunciation

Read the pronunciation guide as if it were an English word, but try to remember the following rules about how Spanish words are said:

- most Spanish words have a part that you stress, or say louder (like the "day" part of the English word "today"). This part is shown in capital letters in the guide
- g in a pronunciation is like the "g" in "garden."
- the Spanish **r** sounds more strongly than in English, especially at the beginning of a word; try rolling it a little, *rrr*
- the Spanish **rr** is a strongly rolled "rrrrr" sound.

A

abajo	*aBAho*	bottom (not top)
el abecedario	*el abesseDARee-o*	alphabet
la abeja	*la aBEha*	bee
abierto	*abee-AIRto*	open
el abrigo	*el aBREEgo*	coat
la abuelita	*la abwayLEEta*	grandmother
el abuelito	*el abwayLEEto*	grandfather
el acantilado	*el akanteeLAdo*	cliff
el aceite	*el asSAYtay*	oil
los acróbatas	*loss aKRObatass*	acrobats
el actor	*el akTOR*	actor
la actriz	*la akTREESS*	actress
el aeropuerto	*el a-eroPWAIRto*	airport
agarrar	*agaRRAR*	to catch
el agua	*el AGwa*	water
el águila	*el AGeela*	eagle
el agujero	*el agooHAIRo*	hole
las agujetas	*lass agooHETass*	shoelaces
el ala	*el Ala*	wing
el ala delta	*el Ala DELta*	hang-gliding
la alberca	*la alBAIRka*	swimming pool
las aletas	*lass aLAYtass*	flippers
la alfombra	*la alFOMbra*	carpet
las algas	*lass ALgass*	seaweed
el algodón	*el algoDON*	cotton, cotton balls
el algodón de azúcar	*el algoDON day asSOOkar*	cotton candy
los alimentos	*loss aleeMENtoss*	food
el almiar	*el almee-AR*	haystack
la almohada	*la almo-Ada*	pillow
alto	*ALto*	high, tall
amarillo	*amaREElyo*	yellow
la ambulancia	*la ambooLANsia*	ambulance
anaranjado	*anaranHAdo*	orange (color)
andar a gatas	*anDAR a GAtass*	to crawl
el andén	*el anDEN*	platform
el anillo	*el aNEElyo*	ring
los animales	*loss aneeMAless*	animals
el anzuelo	*el anSWAYlo*	bait
el apio	*el Apee-o*	celery
la aplanadora	*la aplanaDORa*	steamroller
el arado	*el aRAdo*	plow
la araña	*la aRANya*	spider
el árbol	*el ARbol*	tree
el árbol de Navidad	*el ARbol day nabeeDAD*	Christmas tree
los árboles	*loss ARboless*	trees
el arbusto	*el arBOOSSto*	bush
el arco	*el ARko*	bow
el arco iris	*el ARko EEreess*	rainbow
la ardilla	*la arDEElya*	squirrel
el armario	*el arMARee-o*	closet (kitchen)

la armónica	*la arMOneeka*	harmonica
el aro	*el Aro*	hoop
los aros	*loss Aross*	ring toss
arriba	*aRREEba*	top, upstairs
el arroyo	*el aRROYo*	stream
el arroz	*el aRROSS*	rice
el/la artista	*el/la arTEESSta*	artist (man/woman)
el aserrín	*el asseRREEN*	sawdust
la aspiradora	*la aspeeraDORa*	vacuum cleaner
el/la astronauta	*el/la astroNOWta*	astronaut (man/woman)
los astronautas	*loss astroNOWtass*	spacemen
el autobús	*el owtoeBOOSS*	bus
el avestruz	*el abessTROOSS*	ostrich
el avión	*el abee-ON*	plane
la avispa	*la aBEESSpa*	wasp
el azúcar	*el asSOOkar*	sugar
azul	*asSOOL*	blue
los azulejos	*loss assooLEhoss*	tiles

B

el bádminton	*el BADmeenton*	badminton
bailar	*buyLAR*	to dance
el bailarín	*el buylaREEN*	dancer (man)
la bailarina	*la buylaREEna*	dancer (woman)
el baile	*el BUYlay*	dance
bajo	*BAho*	low
las balas de paja	*lass BAlass day PAha*	straw bales
la ballena	*la baLYENa*	whale
el básquetbol	*el BASketbol*	basketball
el banco	*el BANko*	bench
la banda	*la BANda*	band
la bandera	*la banDAIRa*	flag
la banqueta	*la banKETa*	sidewalk
el baño	*el BANyo*	bathroom
la barbilla	*la barBEElya*	chin
la barcaza	*la barKASsa*	barge
el barco	*el BARko*	boat, ship
el barco de pesca	*el BARko day PESSka*	fishing boat
barrer	*baRRAIR*	to sweep
el barril	*el baRREEL*	barrel
el barro	*el BARRo*	clay
la báscula	*la BASSkoola*	scales
el basquetbol	*el BASketbol*	basketball
el bastón	*el bassTON*	walking stick
la basura	*la basSOORa*	garbage
la bata	*la BAta*	bathrobe
el bate	*el BAtay*	bat
la batería	*la bateREE-a*	battery
el bebé	*el beBAY*	baby
beber	*beBAIR*	to drink
el becerro	*el besSAIRro*	calf
el beisbol	*el BAYSSbol*	baseball

la bicicleta	la beeseeKLAYTa	bicycle
el bisonte	el beesSONtay	bison
blanco	BLANko	white
el blanco	el BLANko	target
blando	BLANdo	soft
la boca	la BOka	mouth
el bolígrafo	el boLEEgrafo	pen
la bolsa	la BOLssa	purse
la bolsa del mercado	la BOLssa del mairKAdo	grocery sack
los bolsillos	loss bolSEElyoss	pockets
la bomba de gasolina	la BOMba day gasoLEEna	gas pump
la bombera	la bomBAIRa	firewoman
el bombero	el bomBAIRo	fireman
el bosque	el BOSSkay	forest
las botas	lass BOtass	boots
el bote de basura	el BOtay day baSSOOra	trash can, waste-paper basket
el bote de pintura	el BOtay day peenTOOra	paint box
el bote de remos	el BOtay day RAYmoss	rowboat
las botellas	lass boTAYlyass	bottles
los botones	loss boTOness	buttons
el brazo	el BRASso	arm
el bronceador	el bronssayaDOR	sunscreen
el buzo	el BOOsso	diver
bueno	BWAYno	good
la bufanda	la booFANda	scarf
el búho	el BOO-o	owl
el burro	el BOOrro	donkey
el burro de planchar	el BOOrro day planCHAR	ironing board

C

el caballete	el kabaLYAYtay	easel
el/la caballista	el/la kabaLYEESta	bareback rider (man/woman)
el caballito	el kabaLYEEto	rocking horse
el caballo	el kaBAlyo	horse
la cabeza	la kaBAYsa	head
la cabra	la KAbra	goat
las cacerolas	lass kassaiROlass	saucepans
el cachorro	el kaCHOrro	puppy
caerse	ka-AIRssay	to fall
café	kaFAY	brown
el café	el kaFAY	café, coffee
la caja	la KAha	box, checkout
la caja de herramientas	la KAha day erraMYENtass	tool box
la caja de pinturas	la KAha day peenTOOrass	paintbox
el cajón	el kaHON	drawer
la cajuela	la kaHWAYla	trunk (car)
la calabaza	la kalaBASsa	pumpkin
los calcetines	loss kalseTEEness	socks
el calendario	el kalenDARee-o	calendar
caliente	kaLYENtay	hot
la calle	la KAlyay	street
los calzones	loss kalSSONess	underwear
la cama	la KAma	bed
la cámara	la KAmara	camera
el camello	el kaMAYlyo	camel
caminar	kameeNAR	to walk
el camino	el kaMEEno	road
el camión	el kameeON	truck
el camión de bomberos	el kameeON day bomBAIRoss	fire engine

el camión de gasolina	el kameeON day gassoLEEna	oil tanker (truck)
la camisa	la kaMEESsa	shirt
la camiseta	la kameeSETa	t-shirt, undershirt
el camisón	el kameeSON	nightgown
el campo	el KAMpo	countryside, field
el canal	el kaNAL	canal
el canario	el kaNARee-o	canary
el canasto	el kaNASSto	shopping basket
el cangrejo	el kanGREho	crab
el canguro	el kanGOORo	kangaroo
las canicas	lass kaNEEkass	marbles
la canoa	la kaNO-a	canoe
cantar	kanTAR	to sing
el/la cantante	el/la kanTANtay	singer (man/woman)
la caña de pescar	la KANya day pessKAR	fishing rod
las cápsulas	lass CAPsoolass	pills
la cara	la KAra	face
el caracol	el karaKOL	snail
el caramelo	el karaMElo	candy
la caravana	la karaVANa	camper
el cárdigan	el KARdeegan	cardigan
la carne	la KARnay	meat
la carnicera	la karneeSAIRa	butcher (woman)
el carnicero	el karneeSAIRo	butcher (man)
la carpintera	la karpeenTAIRa	carpenter (woman)
el carpintero	el karpeenTAIRo	carpenter (man)
la carrera	la kaRRAIRa	race
la carretilla	la karreTEElya	farm cart, wheelbarrow
la carriola	la kareeOla	baby buggy
el carrito	el kaREEtro	shopping cart
los carritos chocones	loss karREEtoss choKONess	bumper cars
el carro	el KArro	car
las cartas	lass KARtass	letters
la cartera	la karTAIRa	mail carrier (woman)
la cartero	el karTAIRo	mail carrier (man)
la casa	la KAssa	house
las casas de campaña	lass KAssass day kamPANya	tents
la casa de muñecas	la KAssa day moonYEKass	doll's house
la casa del perro	la KAssa del PERRo	kennel
la cascada	la kassKAda	waterfall
el casco	el KASSko	helmet
el casillero	el kasselYAIRo	locker
el castillo	el kasTEElyo	castle
el castillo de arena	el kasTEElyo day aRAYna	sandcastle
el castor	el kasTOR	beaver
la catarina	la kataREEna	ladybug
catorce	kaTORsay	fourteen
la cebolla	la seBOlya	onion
la cebra	la SEbra	zebra
la ceja	la SAYha	eyebrow
la cena	la SAYna	supper, dinner
el cepillo	el sePEElyo	brush
el cepillo de carpintero	el sePEElyo day karpeenTAIRo	(wood) plane
el cepillo de dientes	el sePEElyo day DYENtess	toothbrush
cerca	SAIRka	near
la cerca	la SAIRka	fence
los cerdos	loss SAIRdoss	pigs
el cereal	el sairayAL	cereal
la cereza	la saiRAYSSa	cherry

los cerillos	loss saiREElyos	matches
cerrado	saiRRAdo	closed
la cesta	la SESSta	basket
el chabacano	el chabaKAno	apricot
la chamarra	la chaMARRa	jacket
el champiñon	el champeenYON	mushroom
la charola	la chaROla	tray
el charco	el CHARko	puddle
los chícharos	loss CHEEchaross	peas
chico	CHEEko	small
la chimenea	la cheemeNAYa	chimney
el chocolate	el chokoLAtay	chocolate
el chocolate caliente	el chokoLAtay kaLYENtay	hot chocolate
el chorizo	el choREESso	salami
el ciclismo	el seeKLEEZmo	cycling
el cielo	el SYAYLo	sky
el cierre	el see-AIRray	zipper
el ciervo	el SYAIRbo	deer
cinco	SEENko	five
el cine	el SEEnay	movie theater
el cinturón	el seentooRON	belt
el circo	el SEERko	circus
el cirquero	el seeKAIRo	ring master
el círculo	el SEERkoolo	circle
la ciruela	la seerooAYla	plum
los cisnes	loss SEESSness	swans
claro	KLAro	light (not dark)
los clavados	loss klaBAdoss	diving
los clavos	loss KLAboss	nails
el closet	el KLOset	closet (for clothes)
el cobertizo	el kobairTEESso	shed
el coche de carreras	el KOchay day kaRRAIRass	race car
el cochinito	el kocheeNEEto	(toy) bank
los cochinitos	loss kocheeNEEtoss	piglets
la cocina	la kosSEEna	kitchen
cocinar	kosseeNAR	to cook
la cocinera	la kosseeNAIRa	cook (woman)
el cocinero	el kosseeNAIRo	cook (man)
el cocodrilo	el kokoDREElo	crocodile
el codo	el KOdo	elbow
el cofre	el KOFray	(car) hood
el cohete	el ko-AYtay	rocket
el cojín	el koHEEN	cushion
la col	la kol	cabbage
la colchoneta	la kolchoNAYta	mat
la coliflor	la koleeFLOR	cauliflower
la colina	la koLEEna	hill
el collar	el koLYAR	necklace
la colmena	la kolMAYNa	beehive
los colores	loss koLORess	colors
los columpios	loss koLOOMpee-oss	swings
comer	koMAIR	to eat
la cometa	la koMAYta	kite
la comida	la koMEEda	lunch, meal
comprar	komPRAR	to buy
la computadora	la kompootaDORA	computer
la concha de mar	la KONcha day MAR	seashell
el conductor de camión	el kondookTOR day kamee-ON	truck driver (man)
la conductora de camión	la kondookTORa day kamee-ON	truck driver (woman)
el conductor de autobús	el kondookTOR day a-ootoBOOSS	bus driver (man)
la conductora de autobús	la kondookTORa day a-ootoBOOSS	bus driver (woman)
el conejillo de Indias	el koneHEElyo day EENdyass	guinea pig
el conejo	el koNEho	rabbit
el cono	el KOno	cone
la corbata	la korBAta	tie
los corderos	loss korDAIRos	lambs

la correa de perro	la koRRAYa day PErro	leash
correr	koRRAIR	to run
cortar	korTAR	to cut
la cortina	la korTEEna	curtain
corto	KORto	short
coser	koSSAIR	to sew
la crema	la KRAYma	cream
el cricket	el KREEket	cricket (sport)
el cruce peatonal	el CROOsay payatoNAL	crosswalk
el cuaderno	el kwaDAIRno	notebook
la cuadra	la KWAdra	stable
el cuadrado	el kwaDRAdo	square
cuatro	KWAtro	four
la cubeta	la kooBAYta	bucket
el cubo	el KOObo	cube
los cubos	loss KOObos	(toy) blocks
las cucharitas	lass koochaREEtass	teaspoons
los cucharones	lass koochaROness	wooden spoons
los cuchillos	loss kooCHEElyoss	knives
el cuello	el KWAYlyo	neck
las cuentas	lass KWENtass	beads, math problems
la cuerda	la KWAIRda	string
la cuerda de saltar	la KWAIRda day salTAR	jump rope
la cuerda floja	la KWAIRda FLOha	tightrope
los cuernos	loss KWAIRnoss	horns
el cumpleaños	el koomplayANyoss	birthday
la curita	la kooREEtah	band-aid

D

los dados	loss DAdoss	dice
debajo	deBAho	under
los dedos	loss DEdoss	fingers
los dedos del pie	loss DEdoss del p'YAY	toes
el delantal	el delanTAL	apron
el delfín	el delFEEN	dolphin
delgado	delGAdo	thin
el/la dentista	el/la denTEESSta	dentist (man/woman)
dentro	DENtro	in
los departamentos	los daypartaMENtoss	apartments
los deportes	loss dePORtess	sports
a la derecha	a la deREcha	(on/to the) right
el desayuno	el dessa-YOOno	breakfast
el destornillador	el desstorneelyaDOR	screwdriver
el detergente	el detairHENtay	laundry detergent
el día de la boda	el DEEa day la BOda	wedding day
el día de Navidad	el DEEa de nabeeDAD	Christmas Day
los días	loss DEEass	days
días especiales	DEEass esspessee-Aless	special days
el dibujo	el deeBOOho	drawing
diecinueve	d'yesseeNWAYbay	nineteen
dieciocho	d'yessee-Ocho	eighteen
dieciséis	d'yesseeSAYSS	sixteen
diecisiete	d'yessee-s'YAYtay	seventeen
los dientes	loss DYENtes	teeth
diez	DYESS	ten
difícil	deeFEESseel	difficult
el dinero	el deeNAIRo	money
el disfraz	el deesFRASS	costume
doce	DOSsay	twelve
la doctora	la docTORa	doctor (woman)
domingo	doMEENgo	Sunday
dormir	dorMEER	to sleep
dos	doss	two
el durazno	el dooRASno	peach
duro	DOOro	hard
el DVD	el daybayDAY	DVD

E

el edredón	*el edreDON*	comforter
el elefante	*el eleFANtay*	elephant
el elevador	*el elevaDOR*	elevator
empujar	*empooHAR*	to push
encima	*enSEEma*	over
la enfermera	*la enfairMAIRa*	nurse (woman)
el enfermero	*el enfairMAIRo*	nurse (man)
la ensalada	*la enssaLAda*	salad
el/la equilibrista	*el/la ekeelee-BREESSta*	tightrope walker, unicyclist (man/woman)
la equitación	*la ekeetassee-ON*	riding
el erizo	*el eREESso*	hedgehog
la escalada	*la esskaLAda*	climbing
la escalera	*la esskaLAIRa*	ladder
la escalera de cuerda	*la esskaLAIRa day KWAIRda*	rope ladder
las escaleras	*lass esskaLAIRass*	stairs
los escalones	*loss esskaLONess*	steps
la escoba	*la essKOba*	broom
esconderse	*esskonDAIRssay*	to hide
escribir	*esskreeBEER*	to write
el escritorio	*el esskreeTORee-o*	desk
escuchar	*esskooCHAR*	to listen
la escuela	*la essKWAYla*	school
el espacio	*el essPASsyo*	space
los espaguetis	*loss esspaGETeess*	spaghetti
la espalda	*la essPALda*	back (of body)
el espantapájaros	*el esspantaPAhaross*	scarecrow
el espejo	*el essPEho*	mirror
esperar	*esspeRAR*	to wait
las espinacas	*lass esspeeNAkass*	spinach
la esponja	*la essPONha*	sponge
la esposa	*la essPOSsa*	wife
el esposo	*el essPOSso*	husband
el esquí	*el essKEE*	ski
el esquíador acuático	*el eskeeaDOR aKWAteeko*	water skier (man)
la esquíadora acuática	*la eskeeaDOra aKWAteeko*	water skier (woman)
esquiar	*esskeeAR*	skiing
el establo	*el essTAblo*	cowshed
la estación de ferrocarril	*la estasSYON day ferrokaRREEL*	railway station
las estaciones	*lass esstasSYONess*	seasons
estar sentados	*essTAR senTAdoss*	to be sitting
la estatua	*la esTAtooa*	statue
la estufa	*la essTOOfa*	kitchen, stove
el estanque	*el essTANkay*	pond
el estómago	*el essTOMago*	tummy
la estrella	*la essTRAYlya*	star
la estrella de mar	*la essTRAYlya day MAR*	starfish
la excavadora	*la exkabaDORa*	bulldozer
excavar	*exkaBAR*	to dig
el excusado	*el exkooSAdo*	toilet

F

la fábrica	*la FAbreeka*	factory
fácil	*FASseel*	easy
la falda	*la FALda*	skirt
la familia	*la faMEElya*	family
el faro	*el FAro*	lighthouse
los faros	*loss FAross*	headlights
la feria	*la FAIRee-a*	amusement park
la fiesta	*la f'YESSta*	party
la flauta dulce	*la FLAoota DOOLssay*	recorder
las flechas	*lass FLEchass*	arrows
las flores	*lass FLOress*	flowers
la foca	*la FOka*	seal
el foco	*el FOko*	light bulb

las formas	*lass FORmass*	shapes
la fotógrafa	*la foTOgrafa*	photographer (woman)
el fotógrafo	*el foTOgrafo*	photographer (man)
las fotos	*lass FOtoss*	photographs
la frambuesa	*la framBWAYsa*	raspberry
los frascos	*loss FRASScoss*	jars
el fregadero	*el fregaDAIRo*	sink
la fresa	*la FRAYsa*	strawberry
frío	*FREE-o*	cold
la fruta	*la FROOta*	fruit
los fuegos artificiales	*loss FWAYgoss arteefeeSYAless*	fireworks
fuera	*FWAIRa*	out
la furgoneta	*la foorgoNAYTa*	van
el futbol	*el FOOTbol*	soccer
el futbol americano	*el FOOTbol amereeKAno*	football

G

la galleta	*la gaLYETa*	cookie
las gallinas	*lass gaLYEENass*	hens
el gallinero	*el galyeeNAIRo*	henhouse
el gallo	*el GAlyo*	rooster
la gasolina	*la gasoLEEna*	gasoline
el gatito	*el gaTEEto*	kitten
el gato	*el GAto*	cat
la gaviota	*la gaBYOta*	seagull
la gente	*la HENtay*	people
la gimnasia	*la heemNASsya*	gym (gymnastics)
el gis	*el HEESS*	chalk
el globo	*el GLObo*	balloon
el globo terráqueo	*el GLObo teRRAkay-o*	globe
la goma	*la GOma*	eraser
gordo	*GORdo*	fat
el gorila	*el goREEla*	gorilla
la gorra	*la GORRa*	cap
grande	*GRANday*	big
el granero	*el graNAIRo*	barn
la granja	*la GRANha*	farm
la granjera	*la granHAIRa*	farmer (woman)
el granjero	*el granHAIRo*	farmer (man)
gris	*GREESS*	gray
la grúa	*la GROO-a*	crane, tow truck
la guadaña	*la gwaDANya*	hoe
los guantes	*loss GWANtess*	gloves
la guirnalda de papel	*la geerNALda day paPEL*	paper chain
la guitarra	*la geeTARRa*	guitar
el gusano	*el gooSAno*	worm

H

las habichuelas	*lass abeeCHWAYlass*	beans
hablar	*aBLAR*	to talk
hacer	*asSAIR*	to make, to do
el hacha	*el Acha*	ax
haciendo cosas	*asSYENdo KOssass*	doing things
la hamburguesa	*la amboorGESSa*	hamburger
el hámster	*el HAMstair*	hamster
la harina	*la aREEna*	flour
la hebilla	*la eBEElya*	buckle
la helada	*la eLAda*	frost
el helado	*el eLAdo*	ice cream
el helicóptero	*el eleeKOPtairo*	helicopter
el heno	*el Eno*	hay
la hermana	*la airMAna*	sister
el hermano	*el airMAno*	brother
la hierba	*la YAIRba*	grass
la hija	*la EEha*	daughter
el hijo	*el EEho*	son
el hipopótamo	*el eepoPOtamo*	hippopotamus
la historieta	*la eestoree-AYta*	comic

59

la hoguera	la oGAIRa	bonfire
las hojas	lass Ohass	leaves
el hombre	el OMbray	man
los hombros	loss OMbross	shoulders
la horca	la ORka	fork
el hospital	el osspeeTAL	hospital
los hotcakes	loss OTkaikss	pancakes
el hotel	el Otel	hotel
el hoyo de arena	el Oyo day aRENa	sandbox
el huerto	el WAIRto	orchard
el hueso	el WESso	bone
el huevo estrellado	el WEbo estreLYAdo	fried egg
el huevo pasado por agua	el WEbo paSSAdo por Agwa	boiled egg
los huevos	loss WEboss	eggs
el humo	el OOmo	smoke

I

el interruptor	el eentairoopTOR	switch
el invernadero	el eenbairnaDAIRo	greenhouse
el invierno	el eenBYAIRno	winter
los invitados	los eenbeeTAdoss	guests
la isla	la EESSla	island
a la izquierda	a la eessKYAIRda	(on/to the) left

J

el jabón	el haBON	soap
jalar	haLAR	to pull
el jamón	el haMON	ham
el jardín	el harDEEN	yard
el jardín de flores	el harDEEN day FLORess	flower bed
la jaula	la HOWla	cage
los jeans	loss JEENS	cowboys
la jeringa	la heREENGa	syringe
la jirafa	la heeRAfa	giraffe
el judo	el JOOdo	judo
jueves	HWEbess	Thursday
el/la juez	el/la HWESS	judge (man/woman)
jugar	hooGAR	to play
el jugo	el HOOgo	juice
los juguetes	loss hooGAYtess	toys
la juguetería	la hoogetairEE-a	toyshop

K

el kárate	el KAratay	karate

L

los labios	loss LAbyoss	lips
los ladrillos	loss laDREElyoss	bricks
el lagarto	el laGARto	lizard
la lámpara	la LAMpara	lamp
la lancha de motor	la LANcha day moTOR	motor-boat
lanzar	lanSAR	to throw
los lápices de colores	loss LApeesess day koLORess	crayons
el lápiz	el LApeess	pencil
el lago	el LAgo	lake
largo	LARgo	long
las latas	lass LAtass	cans
el lavabo	el LAbabo	sink
el lavado de coches	el LABAdo day KOchess	car wash
la lavadora	la labaDORa	washing machine
lavarse	laBARssay	to wash
la leche	la LEchay	milk
la lechuga	la leCHOOga	lettuce
leer	layAIR	to read
lejos	LEhoss	far

la lengua	la LENgwa	tongue
lento	LENto	slow
el león	el layON	lion
los leones cachorros	loss layONess kaCHOrross	lion cubs
el leopardo	el layoPARdo	leopard
los lentes	loss LENtayss	glasses (to wear)
los libros	loss LEEbross	books
la lija	la LEEha	sandpaper
la lima	la LEEma	file
el limón	el leeMON	lemon
limpio	LEEMpyo	clean
el listón	el leessTON	ribbon
el lobo	el LObo	wolf
la locomotora	la lokomoTORa	engine
el lodo	el LOdo	mud
el loro	el LOro	parrot
las luces delanteras	lass LOOsess delanTAIRass	headlights
la lucha libre	la LOOcha LEEbray	wrestling
la luna	la LOOna	moon
lunes	LOOness	Monday

LL

la llanta	la LYANta	wheel
la llave	la LYAbay	key
la llave del agua	la LYAbay del AGwa	faucet
la llave inglesa	la LYAbay eenGLAYsa	wrench
lleno	LYENo	full
llevar	lyeBAR	to carry
llorar	lyoRAR	to cry
la lluvia	la LYOObya	rain

M

la madera	la maDAIRa	wood
la madrina de bodas	la madREEna de BOdass	bridesmaid
el maestro	el MAesstro	teacher (man)
la maestra	la MAesstra	teacher (woman)
el/la malabarista	el/la malabaREESSta	juggler (man/woman)
la maleta	la maLEta	suitcase
malo	MAlo	bad
la mamá	la maMA	mother
la mandarina	la mandaREEna	tangerine
la manguera	la manGAIRa	hose
la mano	la MAno	hand
el mantel	el manTEL	tablecloth
la mantequilla	la manteKEElya	butter
la manzana	la manSAna	apple
la mañana	la maNYAna	morning
el mapa	el MApa	map
la máquina de boletos	la MAkeena day boLEtoss	ticket machine
el/la maquinista	el/la makeeNEESSta	train engineer (man/woman)
el mar	el MAR	sea
los marcadores	los markaDORes	felt-tip pens
el marinero	el mareeNAIRo	sailor
la mariposa	la mareePOSSa	butterfly
martes	MARtess	Tuesday
el martillo	el marTEElyo	hammer
las máscaras	lass MASSkarass	masks
la mascota	la massKOta	pet
la mecánica	la meKAneeka	mechanic (woman)
el mecánico	el meKAneeko	mechanic (man)
la media luna	la MEdya LOOna	crescent
las medias	lass MEdyass	tights
la medicina	la medeeSEEna	medicine
el médico	el MEdeeko	doctor (man)
la mejilla	la meHEElya	cheek
el melón	el meLON	melon

el mercado	*el mairKAdo*	market
la mermelada	*la mairmeLAda*	jam
la mesa	*la MAYssa*	table
la mesa de trabajo	*la MAYssa day traBAho*	workbench
la mesera	*la maySAIRa*	waitress
el mesero	*el maySAIRo*	waiter
el metro	*el MEtro*	tape measure
la miel	*la MYEL*	honey
miércoles	*MYAIRkoless*	Wednesday
mirar	*meeRAR*	to watch
la mochila	*la moCHEEla*	backpack
mojado	*moHAdo*	wet
el molino de viento	*el moLEEno day BYENto*	windmill
el monedero	*el moneDAIRo*	coin purse
el mono	*el MOno*	monkey
la montaña	*la monTANya*	mountain
la montaña rusa	*la monTANya ROOssa*	roller coaster
el moño	*el MONyo*	bow tie
morado	*moRAdo*	purple
la mosca	*la MOSSka*	fly
la moto	*la MOto*	motorcycle
el motor	*el moTOR*	engine
muchos	*MOOchoss*	many
el mueble con cajones	*el MWAYblay con caHONess*	chest of drawers
muerto	*MWAIRto*	dead
la mujer	*la mooHAIR*	woman
las muletas	*lass mooLAYtass*	crutches
las muñecas	*lass mooNYEKass*	dolls
el murciélago	*el moorSYELago*	bat

N

los naipes	*loss NYEpayss*	playing cards
la naranja	*la naRANha*	orange (fruit)
la nariz	*el naREESS*	nose
la natación	*la natasSYON*	swimming
la navaja	*la naBAha*	pocketknife
la nave espacial	*la NAbay espasSYAL*	spaceship
la neblina	*la neBLEEna*	mist
negro	*NEgro*	black
el neumático	*el nay-ooMAteeko*	tire
el nido	*el NEEdo*	nest
la niebla	*la NYEBla*	fog
la nieve	*la NYAYbay*	snow
la niña	*la NEEnya*	girl
el niño	*el NEEnyo*	boy
los niños	*loss NEEnyoss*	children
la noche	*la NOchay*	night
la novia	*la NObya*	bride
el novio	*el NObyo*	bridegroom
las nubes	*lass NOObess*	clouds
nueve	*NWAYbay*	nine
nuevo	*NWAYbo*	new
los números	*loss NOOmaiross*	numbers

O

las ocas	*lass Okass*	geese
ocho	*Ocho*	eight
los ojales	*loss oHAless*	button holes
el ojo	*el Oho*	eye
las olas	*lass Olass*	waves
once	*ONsay*	eleven
las orejas	*lass oREhass*	ears
la oruga	*la oROOga*	caterpillar
oscuro	*ossKOOro*	dark
el osito de peluche	*el oSSEEto day peLOOchay*	teddy bear
el oso	*el Osso*	bear
el oso polar	*el Osso poLAR*	polar bear

el otoño	*el oTONyo*	fall
el óvalo	*el Obalo*	oval
las ovejas	*lass oBEhass*	sheep

P

el pajar	*el paHAR*	loft
los pájaros	*loss PAhaross*	birds
la pala	*la PAla*	shovel
palabras opuestas	*paLAbrass oPWESStass*	opposite words
los palillos	*loss paLEElyoss*	chopsticks
la palita	*la paLEEta*	trowel
el palo de esquí	*el PAlo day essKEE*	ski pole
la paloma	*la paLOma*	pigeon
las palomitas de maíz	*lass paloMEEtass day maEESS*	popcorn
el pan	*el PAN*	bread
el pan tostado	*el PAN tossTAdo*	toast
la panadera	*la panaDAIRa*	baker (woman)
el panadero	*el panaDAIRo*	baker (man)
el panda	*el PANda*	panda
los panecitos	*loss paneSEEtoss*	(bread) rolls
los pantalones	*loss pantaLOness*	pants
las pantuflas	*lass panTOOflass*	slippers
el pañal	*el paNYAL*	diaper
el pañuelo	*el panyuWELo*	handkerchief
los pañuelos de papel	*loss panyuWELoss day paPEL*	tissues
el papá	*el paPA*	father
las papas	*lass PApass*	potatoes
las papas a la francesa	*lass PApass a la franSAYssa*	fries
las papas fritas	*lass PApass FREEtass*	chips
el papel	*el paPEL*	paper
el papel higiénico	*el paPEL eeHYENeeko*	toilet paper
el paracaídas	*el paraka-EEdass*	parachute
el paraguas	*el paRAGwass*	umbrella
la pared	*la paRED*	wall
el parque	*el PARkay*	park
la parte delantera	*la PARtay delanTAIRa*	front
la parte trasera	*la PARtay traSSAIRa*	back (not front)
partir	*parTEER*	to chop
el pasillo	*el paSEElyo*	hall
la pasta de dientes	*la PASSta day DYENtess*	toothpaste
el pastel	*el passTEL*	cake
el pastel de cumpleaños	*el passTEL day koomplayANyoss*	birthday
las patas	*lass PAtass*	paws
el patinaje sobre hielo	*el pateeNAhay sobray YElo*	ice skating
los patines	*loss paTEEness*	roller blades
los patines de hielo	*loss paTEEness day YElo*	ice skates
la patineta	*la pateeNAYta*	skateboard
el patio	*el PAtee-o*	playground
los patitos	*loss paTEEtoss*	ducklings
los patos	*loss PAtoss*	ducks
la patrulla	*la paTROOlya*	police car
los pavos	*loss PAboss*	turkeys
el payaso	*el paYASso*	clown
la pecera	*la pesSAIRa*	aquarium
los peces de colores	*loss PAYSSess day koLORess*	goldfish
el pecho	*el PEcho*	chest
el pegamento	*el pegaMENto*	glue
el peine	*el PAYeenay*	comb
pelear	*pelayAR*	to fight
el pelícano	*el peleeKAno*	pelican
el pelo	*el PAYlo*	hair

61

la pelota	la peLOta	ball
la peluquera	la pelooKAIRa	hair stylist (woman)
el peluquero	el pelooKAIRo	barber (man)
pensar	penSAR	to think
el pepino	el pePEEno	cucumber
la pera	la PAYra	pear
el perchero	el perCHERo	coat rack
el periódico	el peree-Odeeko	newspaper
el periquito	el pereeKEEto	parakeet
el perro	el PErro	dog
el perro pastor	el PErro pasTOR	sheepdog
la persiana	la pairsee-Ana	(window) blind
la pesca	la PESSka	fishing
el pescador	el pesskaDOR	fisherman
el petrolero	el petroLAIRo	oil tanker (ship)
el pez	el PAYSS	fish
el piano	el pee-Ano	piano
el picaporte	el peekaPORtay	door handle
el picnic	el PEEKneek	picnic
el pico	el PEEko	beak
el pie	el PYAY	foot
las piedras	lass PYEDrass	stones
las piedrecitas	lass p'yedray-SEEtass	pebbles
la pierna	la PYAIRna	leg
la piyama	la peeYAma	pajamas
el piloto	el peeLOto	pilot
la pimienta	la peemee-ENta	pepper
el pin	el PEEN	badge
el pincel	el peenSEL	brush
el ping-pong	el peeng-PONG	table tennis
el pingüino	el peenGWEEno	penguin
pintar	peenTAR	to paint
el pintor	el peenTOR	painter (man)
la pintora	la peenTORa	painter (woman)
las pinturas	lass peenTORass	paints
las pinturas para la cara	lass peenTORass para la KAra	face paints
la piña	la PEEnya	pineapple
el piragüismo	el peeraGWEEssmo	rowing, canoeing
la pista de aterrizaje	la PEESSta day aterreeSAhay	runway
el pizarrón	el peessarRON	blackboard
la pizza	la PEETsa	pizza
la plancha	la PLANcha	iron
el planeta	el plaNAYta	planet
la planta	la PLANta	plant
la plastilina	la plasteeLEEna	playdough
el plátano	el PLAtano	banana
los platitos	loss plaTEEtoss	saucers
los platos	loss PLAtos	plates
la playa	la PLA-ya	beach, seaside
las plumas	lass PLOOmass	feathers
la pocilga	la poSEELga	pigsty
pocos	POkoss	few
la podadora	la podaDORa	lawn mower
el policía	el poleeSEE-a	policeman
la policía	la poleeSEE-a	police, policewoman
la polilla	la poLEElya	moth
los pollitos	loss poLYEEtoss	chicks
el pollo	el POlyo	chicken
el popote	el poPOtay	(drinking) straw
el poney	el POnee	pony
el poste indicador	el POSStay eendeekaDOR	signpost
el poste de kluz	el POSStay day LOOSS	lamp post
los posters	loss POSStairs	posters
los postres	loss POSStress	dessert
la primavera	la preemaVAIRa	spring
primero	preeMAIRo	first
la prima	la PREEma	cousin (girl)
el primo	el PREEmo	cousin (boy)

el pueblo	el PWEblo	village
el puente	el PWENtay	bridge
el puerro	el PWErro	leek
la puerta	la PWAIRta	door
la puerta de la cerca	la PWAIRta day la SAIRka	gate
el pulgar	el poolGAR	thumb
el puré de papas	el pooRAY day PApass	mashed potatoes

Q

el queso	el KAYsso	cheese
quince	KEENsay	fifteen

R

el rabo	el RAbo	tail
el radiador	el radyaDOR	radiator
la radio	la RAdyo	radio
las ramas	lass RAmass	sticks
la rana	la RAna	frog
rápido	RApeedo	fast
la raqueta	la raKEta	racket
el rastrillo	el rasTREElyo	rake
el ratón	el raTON	mouse
la recámara	la rayCAmara	bedroom
recoger	rekoHAIR	to pick
el recogedor	el rekoheDOR	dustpan
el rectángulo	el recTANgoolo	rectangle
la red	la RED	net
la red de seguridad	la RED day segooreeDAD	safety net
el refrigerador	el refree-hairaDOR	refrigerator
la regadera	la regaDAYra	shower
la regaderita	la regaDAYra	watering can
el regalo	el reGAlo	present
los regalos	loss reGAloss	presents
la regla	la REgla	ruler
reírse	ray-EERssay	to laugh
el relámpago	el reLAMpago	lightning
el reloj	el reLOH	clock, watch
el remo	el RAYmo	oar, paddle, rowing
el remolque	el reMOLkay	trailer
los renacuajos	loss renaKWAhoss	tadpoles
el reno	el RAYno	reindeer
la represa	la rePRAYssa	lock (canal)
el revisor	el rebeeSOR	train conductor (man)
la revisora	la rebeeSORa	train conductor (woman)
el rinoceronte	el reenossaiRONtay	rhinoceros
el río	el REE-o	river
el robot	el roBOT	robot
las rocas	lass ROkass	rocks
el rociador	el rosseeaDOR	sprinkler
el rocío	el rosSEE-o	dew
la rodilla	la roDEElya	knee
rojo	ROho	red
el rombo	el ROMbo	diamond
el rompecabezas	el rompaykaBAYSSass	jigsaw
romper	romPAIR	to break
la ropa	la ROpa	clothes
rosa	ROssa	pink
la rueda de la fortuna	la RWAYda de la forTOOna	Ferris wheel
el rugby	el ROOGbee	rugby

S

sábado	SAbado	Saturday
la sábana	la SAbana	sheet
la sal	la SAL	salt
la sala	la SAla	living room

Spanish	Pronunciation	English
la sala de espera	la SAla day esPAIRa	waiting room
la salchicha	la salCHEEcha	sausage
la salsa	la SALssa	sauce
saltar	salTAR	to jump, to skip
las sandalias	lass sanDAleeass	sandals
el sándwich	el SANweech	sandwich
Santa Claus	SANta CLAooss	Santa Claus
el sapo	el SApo	toad
el sartén	el sarTEN	frying pan
seco	SAYko	dry
seis	SAYSS	six
el semáforo	el seMAforo	traffic lights
las semillas	lass seMEElyas	seeds
el sendero	el senDAIRo	path
las señales	lass seNYAless	signals
la serpiente	la sairPYENtay	snake
el seto	el SEto	hedge
los shorts	loss SHORTS	shorts
la sierra	la see-Erra	saw
siete	SYAYtay	seven
el silbato	el seelBAto	whistle
la silla	la SEElya	chair
la silla de montar	la SEElya day monTAR	saddle
la silla de playa	la SEElya day PLA-ya	beach chair
la silla de ruedas	la SEElya day RWAYdass	wheelchair
la sillita	la seeLYEEta	stroller
el snowboarding	el eSNOWbordeeng	snowboarding
el sofá	el soFA	sofa
la soga	la SOga	rope
el sol	el SOL	sun
los soldados	loss solDAdoss	soldiers
el sombrero	el somBRAIRo	hat
el sombrero de copa	el somBRAIRo day KOpa	top-hat
el sombrero de paja	el somBRAIRo day PAha	straw hat
la sombrilla	la somBREElya	beach umbrella
sonreir	sonray-EER	to smile
la sopa	la SOpa	soup
soplar	soPLAR	to blow
el subibaja	el soobeeBAha	seesaw
el submarino	el soobmaREEno	submarine
la sudadera	la soodaDAIRa	sweatshirt
sucio	SOOsyo	dirty
el suelo	el SWAYlo	floor
el suéter	el SWEtair	sweater

T

Spanish	Pronunciation	English
el tablón	el taBLON	plank
el taburete	el tabooRAYtay	stool
las tachuelas	lass taCHWAYlass	tacks
el taladro	el taLADro	drill
el taller	el taLYAIR	workshop
el taller mecánico	el taLYAIR meKAneeko	garage
los tambores	loss tamBORess	drums
el tapete	el taPAYtay	rug
la tarde	la TARday	evening
la tarjeta de cumpleaños	la tarHETa day koomplayANyoss	birthday card
las tarjetas	lass tarHETass	cards
los tarros	loss TARoss	tubs, jars
el taxi	el TAKssee	taxi
las tazas	lass TASSass	cups
los tazones	loss tasSONess	bowls
el té	el TAY	tea
el techo	el TEcho	ceiling
el tejado	el teHAdo	roof
tejer	teHAIR	to knit
el tejón	el teHON	badger

Spanish	Pronunciation	English
la telaraña	la telaRANya	cobweb
el teléfono	el teLEFono	telephone
el telescopio	el teleSKOpyo	telescope
la telesilla	la teleSEElya	chairlift
la televisión	la telebeesSYON	television
los tenedores	loss teneDORess	forks
el tenis	el TEneess	tennis
los tenis	los TEneess	sneakers
el termómetro	el tairMOmetro	thermometer
la tetera	la tayTAIRa	teapot
la tetera eléctrica	la tayTAIRa eLEKtreeka	kettle
la tía	la TEE-a	aunt
el tiburón	el teebooRON	shark
el tiempo	el TYEMpo	weather
la tienda	la TYENda	shop
la tierra	la TYERra	dirt
el tigre	el TEEgray	tiger
las tijeras	lass teeHAIRass	scissors
la tina	la TEEna	bathtub
el tío	el TEE-o	uncle
el tiovivo	el tee-oBEEbo	merry-go-round
el tiro con arco	el TEEro kon ARko	archery
los títeres	loss TEEtairess	puppets
la toalla	la toAlya	towel
el tobogán	el toboGAN	slide
tomar	toMAR	to take
el tomate	el toMAtay	tomato
los topes	loss TOpess	buffers
el topo	el TOpo	mole
los tornillos	loss torNEElyoss	screws, bolts
el torno de banco	el TORno day BANko	vise
el toro	el TOro	bull
la toronja	la torONha	grapefruit
la torre de control	la TOrray day konTROL	control tower
la tortilla francesa	la torTEElya franSAYssa	omelet
la tortuga	la torTOOga	tortoise
el tractor	el trakTOR	tractor
el traje de baño	el TRAhay day BANyo	swimsuit
el trapeador	el trapayaDOR	mop
el trapecio	el traPESsyo	trapeze
el trapo de cocina	el TRApo day cosSEEna	dish towel
el trapo del polvo	el TRApo del POLbo	dust cloth
el trasero	el traSAIRo	bottom (body)
trece	TRAYsay	thirteen
el tren	el TREN	train
el tren de mercancías	el TREN day mairkanSEE-ass	freight train
el tren fantasma	el TREN fanTASSma	ghost train (ride)
trepar	trePAR	to climb
tres	TRESS	three
el triángulo	tree-ANgoolo	triangle
el triciclo	el treeSEEklo	tricycle
el trineo	el treeNAYo	sleigh
la tripulación	la treepoolasSYON	cabin crew
la trompa	la TROMpa	trunk (elephant)
la trompeta	la tromPEta	trumpet
los troncos	loss TRONkoss	logs
las tuberías	lass toobaiREE-ass	pipes
las tuercas	lass TWAIRkass	nuts (nuts and bolts)
el túnel	el TOOnel	tunnel

U

Spanish	Pronunciation	English
último	OOLteemo	last
uno	OOno	one
las uvas	lass OObass	grapes

Spanish	Pronunciation	English
	la BAka	cow
	lass bakasSYONess	vacation
	baSEE-o	empty
	loss baGONess	railway cars
	la BAra	pole
	loss BAssoss	(drinking) glasses
veinte	BAYNtay	twenty
la vela	la BAYla	candle, sail, sailing
el velero	el beLAIRo	sailboat, yacht
la venda	la BENda	bandage
la ventana	la benTAna	window
las verduras	lass bairDOORass	vegetables
el verano	el baiRAno	summer
verde	BAIRday	green
las verduras	lass bairDOOrass	vegetables
el vestido	el bessTEEdo	dress
el vestuario	el besstoo-ARyo	changing room
la veterinaria	la betereeNARya	vet (woman)
el veterinario	el betereeNARyo	vet (man)
el viaje	el bee-Ahay	travel
las vias	lass BEEass	train tracks
viejo	BYEHo	old
el viento	el BYENto	wind
viernes	BYAIRness	Friday
las virutas	lass beeROOtass	wood shavings
vivo	BEEbo	alive

W

Spanish	Pronunciation	English
el windsurfing	el WEENsoorfeeng	windsurfing

Y

Spanish	Pronunciation	English
el yeso	el YESso	cast
yo	yo	I, me
el yogurt	el yoGOORT	yogurt

Z

Spanish	Pronunciation	English
la zanahoria	la sana-ORee-a	carrot
los zapatos	loss saPAtoss	shoes
los zorritos	loss soREEtoss	fox cubs
el zorro	el SOrro	fox